KB081920

성질에서의
합리화가 필요하는
까닭에 유동적인
사이클이 돌아가야
함수적 표현들을
쓸수있다는것이다..
통계적인 수학적
기법으로 연기의
핵심적인
자아장치를 통해서
나의 사고와
기계어로 작동하는
릴레이션 기능을

포괄적으로
사용하는것이
공학론이 여서이다.
또한 무대의 극장
표현장치로써의
여러가지 분포된
가능한 일렬로
그어진 상황설명을
계속해나아간다
또한 정극의
표현으로써
리어왕의 왕의
대사로써 강한

이미지를 느끼게
하는 분노의
의식성에서 칼륨을
낮추어 소리의
방향성을 제시
할수있다는 것이다
이러하여금 독일의
표현무대로써의
화가의 극도의
도움이 라던지
비극의 연속적인
과학에 있어서
공연의 개생과

개선을 필요로
하겠다 . 또한 서론
본론 결론에서
나타내는 공연의
시작인 그리스
희곡의 장단점이다
이러하여 몸의
니체로써
심리학적인
표현으로써 다양한
체 의 기억들을
접하볼수있다..
극본에서 쓰이는

대사체 들로써
인간의 본성을
들어내는 스즈키
화술이라 이미지의
장단점을
볼수있다는
것이였다... 이러한
메소드 장치로써
배우나 연출가의
내면심리를
알수있다는것이다.
고전문학에서의
특징성은 러시아의

이바노프의
진실성과 풍부한
상상력언어로
만들어진 죄와벌 과
까르마조프까의
형제들이라는 아주
사악하지 않은
노력의 길미들의
톨스토이의 길도
있다는것이다 미국
에서의 희곡에서는
아서밀러의 시련
작품에서의 성당의

악마스러운
프락터의 귀신같은
변명과 헤일목사의
권력주의 성이
포함이되는것이다..
시련의 작품애서의
발달주의작인 미국
정치적인
사이코매트릭과의
동원해서 희곡
전반적인
내용에서의
날카로운

의사전달력이
구분되어있다는
것이다. 또한
인공화된 도시들의
쾌약한 침해등을
이해하다보면 그
도시들의 나태함을
통해 구함을
잊지못하는
세일즈맨의 죽음의
비프라는 형이라는
것이다..

- 공연

피얼화이드에서
극장 건축설계가
필요하다.
퍼포먼스에서
있는입장에
미술화된
풍수지리가
나타나고
통계적으로
확일할수있는
근거가 될수있다.
예술경영을

통해서
과학적인[1]
요소로 계속해서
연구를 하면
독일의 표현적인
무대가 나오며
실험극이
필요하다.
음형설계에서도
리듬미컬하게
그릴줄알아야
하고 콘티에서도

1

정확성을 주는
무대 기본성을
대사를 통해서
처리할 수
있으므로
나트륨의
성분으로써
극대화하지 않고
데이터들을
계속해서
추출해서
코드화하는
작업이있다.. 그

코드화는
계속해서
말하자면
언행적인것도
소프트화된것을
접출할수있다
그것이 바로
원리인것이다.
환경에서도
체계적인 변환이
있다는것이다.
저속도의
기동성에서는

첫번째의 장면
변환이 가상적인
VRAR 로써
설명했을때
메가바이트 로
가는 형식으로써
극장의 설명을
간주할수있다
어떠한 것이면서
그래픽과도 같은
도수를 치유해
강도를
모션으로써

움직임의
동선으로써
복화술을
사용할수있다는
것이다.
인체학으로써의
역할은 소리를
통해 몸을
쓰지않고
나중에의
물리적인
요소들로써
이루어져있다..

무대세노그라피
상 실험적인
무대들로써
이루어져있다
복화술에서
쓰이는
시각화효과는
인형으로 써
이루우져있고
나무깍이로
만들어져 있는
공연의
미술품으로써

공간의 배경도를
맞추어가는
사고들이
생성되어야한다
또한 그들의
조건하에
배경도식 자체가
아래로 집념입게
받추어 줘야한다
또한 공연에서의
심리에서는
신체의 끝깍이
같은 발 아래에

있는 신체부위를
넓혀주는것이다
여기어세
퍼포먼스가 들어
갈때 엔진
이라는것이
들어오개 되는데
낙하를 할때의
감정사태를
그대로 표현하고
있다는것이다
또한 소라에서
목그리고 오줌을

넣어서 마쉬는
마야 인종 들의
인디오 축제도
가능할것이다
또한
아프리카식의
뎅코춤아라던지
아니면
탑을쌓아서
고문의 장소를
읽듯이에대한
사건전갸 방향
함수가 있어야

할것이다
그러므로 다
마찬가지입니다
또한 털털한
수염에서
사작되는 러시아
혁명의 가볍지
않은
턱턱하젼서도
질긴 얼굴과
잔잔해봐도
되지만 응집력이
강한 형태소로

들어가기 에
무리이다
다음번에는
어떤것이냐면

동물연극에 관한
지탱화된 원리에
대한 글이다..
그것은 무엇이든
점층예상범위를
나타내는
사항이라는것이다
또한 신체에서도

부위마다의
특정상황들을
심리적인
동반성으로
날취어가된 부상 적
행위모션
단위들이다..
그것은 감상적으로
부분화된
이미지화에서
또다른 물질적인
공연의 스킬들을
해부하는 부분들이

있다는것이다
이러한
세네갈기법들의
공연
퍼포먼스에서도
춤이라는 작용이
들어나게된다
그러함으로 써
아프리키의
의식성을 계속
탐구한다
연극의 기호학인
불이라는 특설을

가진것과 과학적인
큐브를 맞대어서
비교하에
미학이라고 불르는
사례들 중에서
불이라는것른
염소에 의해서
탄생된 기체이며
큐브를 통해
수학적인
기호학적인
분석요소인
타르에서 담뱃불과

같은 성질을 가진
뜻에서
퍼포먼스에서도
기체적인 분석물들
중에서
즉흥상황에사
사용이되는ㄴ
기생전결의
의미하레
화자에대한 감정의
분석을 시학적인
능률로 분석을
하고서 이

의미하에서
퍼포먼스를 통해
예를 들우 서커스
동양의 의식을 담은
기하학적인
콜로세움에서의
중심적인 함수적인
그래프를 통계적인
수학의 기호학이다
방송시스템의
성능과 평가에
대해서 방송에서
사용되는 툴의

특성과 성질을
비교해서 전파성능
휴대성능 알파성능
그리고 시스템
특성상 컴퓨터
기계식 보드의
운영사항을
아르켜주는
운영체제의 형태의
되감기 시작
빨리감기의
필름적인 요소
필름의 기초인

촬영성질에 대한
웅통성에 빛의
세기와 조명의
카메라의 추임성과
더불어 공간의
이동성과 조명의
밝기를 조정하여
세운 말로써
편집기술과
특수효과를 통해
가상현실을
부여시킬수있는
하나의 기동성

장치를
제작할수있다
예술성에대한 공연
설계도를 찾게 되면
키 라는 부분에서
공연의 탈련성을
보여줄수있다
이것은 즉
훈련과정에서
알렉산더 테크닉학
적 기하학적표현을
위주로 하는
근본적인

예술사회과학인
특성으로써
흔하지않는 가면의
특징들이다..
가면의
희노애락성을
구별하게 된다면
내면의 정서를
포함하여 구체성을
대변할수있는
대사에서 포험이
있다는 것이다
그러하여 뜻을

같이하는
즉흥상황극에서
사용이 된다는
것이다 때로의
구별화된 의무성
작용으로써의
작품들로써
미학적인
형태소들에서의
식물성 가변이
들어가게 되는데
발바닥에 바늘을
치루는 과정에서의

특별화된 의론을
바탕으로 한다
치유법에서도
가능한 역할이지만
한마디로 철학적인
반면에 공연의 한
날카로운
주술로써의 동 서양
적인 분파로써의
공연의 기본적인
연극 연기
사용법으로써
의견화

내릴수있다는
것이다 또한
연기안에서도
낭만주의 의식성이
발굴이 되어야 그
거울안 속의
형태적인
몽타주기법인 연극
현상이 이루어진다
또 달 안애서의
과학적 논리를 통해
알골의 형태소로
인해서 논리적인

공연적 탈박성을
알릴 수있다는
것이다 이러한
논행이 이루어 져야
다시
이루어낼수있는
공간적인
특성으로써 이야기
하면 된다는것이다
또한 논리의
구성안에서
세포망의 여러
구체화성에 대해서

뇌안에있는 생물적
구성인
나무인형으로써의
공연을
할수있으므로
다양성을 부여한다
또한 러시아
혁명에서의 공연적
색깔이라던지
아랍의 또한 정서적
특성을 토대로
아프리카의 현존의
인종성 예술화의

특징들을
추려낼수있다는
것이다
공연의 의식성
중에서 제일 연극
스타일적인 공연은
발성과 소리의
호흡의 수학적
범위게 크게
작용한다는 의미가

된다 이 의미론에서
쉽게 알수있는 큰
발바닥에 침으로
맞는 기분이 들지
않을 정도로의
움직임으로써
마임을 선보이는
무대들이
발전적이다..또한

궁극적인　　목적을

세우면서　　까지의

호흡과 방향성으로

잡는 큰범위들에서

시작이 되어 또는

상식의　　　이상의

상황에서의

연기이론을

설명한다 그 무대의

기능에서는 분명히
즉흥상황처럼
공연의 흐름도가
있을것이고 또한
고등적인 움직임
요소에서 당연히
외래적인 공연을
맡을수있다는
것이다 큰

퍼포먼스같은

논란에 휩싸이게

되어 공연적인

론에서의 부합된

삼투현상화 처럼

서커스의 방향과

함수적인

귀납법으로써 쭉

잇게 되는 바느질

형태의 시침에서
시간으로써의 긴
장르가 생성이 된다
궁극적이게 그러한
기술들이 연매어
또한 크고 작은
동서남북의
지리적인 시스템을
가진 육지의

대연성을 가지도록
하는 의상의
꿈트리적인 장르를
맞추어 가야한다.
이집트에서
기하학적인
논설로써 예술적인
가치관에 흩매어져
모래처럼 아주작은

원소들로써 평가를

하는 의미하에

사막화된 이론적인

분석에서도 공연의

발맞춤은

할수있다는 점이

따로 있다는.것이다

이스탄불적인

무도화 공연에서도

마찬가지로

의미상에서 이롭게

틈터져있는

공간에서 공석의

맺음으로써 항상

달련이

되어있다는점이다..

신체에서의

이론적인

브레히트가
역사학적으로써
나타낸 히틀러의
역사나 발에서
시작되는 과학적인
이론을 얼매어
사실주의를.나타내
면서 혼을
이어간다..미국의

역사에서도
인디안의 종식성을
일커내어 또다른
차원의 한 형식의
공연적 스타일을
계속해서 연극화해
내어 글자의
상형문자처럼
의식을 할수있다는

큰 이론적인 배경에

바탕에 있다는

점이다..꺼내어보면

아시아의 논의 처럼

발휘해 또한

큰.장애물처럼

인도식 나츄럴한

마스크의 기원과

연극역사에서도

마찬가지로 집의

형태나 역설적인

언어적

형식상으로써

깨달게 되는

심리학적인

요소들도 꼭 있다는

것이다 또한 이러한

분석방법으로써

하물며 큰 장애물을
겪지않아도 되는
남미의 공연에서
삼바댄스의 춤은
미래적 지형적인
틀으로써 많이들
관람들이 오고
있다는것이다..이러
한 것들로써 다양한

공연매체들이

살아있게되며 또한

긴 공연을 짧게

되세기게

하고있으며 또한

중요한 다리의

느낌으로써의

알고리즘화가 되는

공식으로써

고고학적 인 상식을

가져볼수있다는

것이다 연극에서

미쳐날뛰는

모습들은 결코

어렵지 않으며 또한

서양화된

공연의식에서도

아시아의 큰.틀이

매껴져있다는

중심적인 요소들이

있다는 점들이다

또한 공연의

역사에서도

미술학적인

표현들이 써게

되어있음을

무엇이든

알수있다는 것이다

이러한 융합적인

훈련에서

즉흥상황에서의

알렉산더

테크닉법으로써

증명하고자 하는

의로움이 계속

발달하여야

하므로써 연기의
발전은
무궁무진할것이다..
이런 공연의
얼굴형태를
마스크적이게
발달시키기
위해서는 부족들의
자원들과

역사에서의
지배력을
알수있어야 하며
게르만주의
사상.들로써 의미를
하게 됨으로써의
행동지능 과학들이
존재하는것이다 .이
것을 바탕으로해

무조건의

상황들로써

의미하지않고 나의

사고방향성을

주시하는 것이

바람직하다

예술성에대한 공연
설계도를 찾게 되면
키 라는 부분에서
공연의 탈련성을

보여줄수있다
이것은 즉
훈련과정에서
알렉산더 테크닉학
적 기하학적표현을
위주로 하는
근본적인
예술사회과학인
특성으로써
흔하지않는 가면의
특징들이다..
가면의
희노애락성을

구별하게 된다면
내면의 정서를
포함하여 구체성을
대변할수있는
대사에서 포험이
있다는 것이다
그러하여 뜻을
같이하는
즉흥상황극에서
사용이 된다는
것이다 때로의
구별화된 의무성
작용으로써의

작품들로써
미학적인
형태소들에서의
식물성 가변이
들어가게 되는데
발바닥에 바늘을
치루는 과정에서의
특별화된 의론을
바탕으로 한다
치유법에서도
가능한 역할이지만
한마디로 철학적인
반면에 공연의 한

날카로운
주술로써의 동 서양
적인 분파로써의
공연의 기본적인
연극 연기
사용법으로써
의견화
내릴수있다는
것이다 또한
연기안에서도
낭만주의 의식성이
발굴이 되어야 그
거울안 속의

형태적인
몽타주기법인 연극
현상이 이루어진다
또 달 안애서의
과학적 논리를 통해
알골의 형태소로
인해서 논리적인
공연적 탈박성을
알릴 수있다는
것이다 이러한
논행이 이루어 져야
다시
이루어낼수있는

공간적인
특성으로써 이야기
하면 된다는것이다
또한 논리의
구성안에서
세포망의 여러
구체화성에 대해서
뇌안에있는 생물적
구성인
나무인형으로써의
공연을
할수있으므로
다양성을 부여한다

또한 러시아
혁명에서의 공연적
색깔이라던지
아랍의 또한 정서적
특성을 토대로
아프리카의 현존의
인종성 예술화의
특징들을
추려낼수있다는
것이다
상상의
세계관안에서도
심리예술의 치료를

받아야하는것이다..
이러함으로써
부분적 문장을
뚜렷이 보게된다면
그들의
시선이라던지
그들의 오햐감을
조성하거나
예술가가 미친듯이
예술의 가대성에
대해서 알고있다는
문제인격이다 또한
순수문학에서도

발자취를 하는
것들도 있다는
것이다 독서의
문학의 발전성에
대해서 이야기한다
이 문학성 본능적
추상적인 행사들
자체에서 보면 이미
만들어진 것을
응용해 주제를
바꾸지않고
제목이나
내용물들을

바꿔놓는 기술적인
혼 의 연기를
보우해야 하는 뜻의
전개이다 이러한
연기들은
지역뿐만아니라
문화적 측면에서도
가로칠수있다는
것이다.. 또한
문제가 되는
형식물로써 사극의
정의에 맞깉다면
현상이라는것을

보고 관객들이
고찰하여 보게
됨으로써
생각할수있다는
것이다.. 불교적인
특성과 도
비슷하게도 각
나라의 전통과
문화들을 알기 쉽게
다이얼로그 를 더
다듬어보고 또는
심리적 현상에서의
그릇의 비판을

해야한다.
심리적인 것은
훌라우프가아니라
계단식으로 논쟁을
벌일수있다는
것이다 그것으로써
문학의 형태들은
좀처럼 쉽지 않지만
연극사나 세계사를
봐야하는 이유들
중에 하나이다
그러기 바빠 나의
연기적 성찰이

필요함에 대한
값어치를 충분히
하겠다는 것이
아닐수없다는
곳이다 여러가지의
분포된 통계적인
기본의 연극 틀들은
계속해서 뿌리가
날아오는 메소드
형식으로써 꾸준히
가게되어있다는
것이다 배우들의
메소드 형태는 이미

많이 발전했기
때문이다 이런
분석을 통해서
공연의 발단전개
부분들을 의미하고
내용을 알고 캐릭터
구축들이 필요하는
부분들이다..
단순히 연극
뿐만아니라
퍼포먼스에서도
발레나 무용으로써

공연의 형태를 볼
수 있겠다는것이다
자신의 역할을
보다보면 거울의
인지가 아닌 하나의
인문으로써도
남길수있고
예술로써도
부분화가
될수있다는것이다
화자의 내면세게와
배우의 내면셰계는

다른곳이다 이
의미하에
무언극이라는
공연예술을
던져보던져
무언극이라는 것은
그저 말이 아닌
행동언어로
사용되는 몸짓이나
흉네의

희로애락이다
그래서 세계의
무대인
미국가운데에서 이
언어적인 행위는
머리속에서 발생을
하게 되는것이다
라는 의문점을
가졌다 예를 들어서
몸을 한가운데

중심으로 수학적인
기법을 통해서 기호
분석이 가능하다
몸을 가꾸기 위한
작업이디만 몸의
형태나 모습이
어떻게 들어갈지에
대한 행위를 애초에
분석을 하는것이다
서커스에서도

마임극 형태를 주로
세발자전거 안에서
효과를 분석
할수잇할 분류라는
것은 무엇을
의미하냐면 내가
아닌 다른 사람을
주장해서 액팅을
취할수있고 하나의
카테고리

범위에서의 액션 즉
몸을 쓰는
그로토프스키의
연기이다
마임에서의 특성은
만약 우리가 말하는
관객이 지나치게
언어행위를
주장하면 마음의
인식이 적어져 돌발

상황에 처할수있다
그래서 이러한 것을
통하여 신체로서
풀어주는 형태를
가져야 만 한다
물리적인 요소
안에서 정말로
기계적이지 않은
상상과 사실적인
추구방식에서

나오는 물질적인
자원에서부터
언행이 아니라
신체에서의 특성을
이해하는 의학적인
요소 입니다 이
의학적인 메소드
형식은 말 그대로
신체내부에서 약을
조금 줄것인지 많이

줄것인지에 대한
의식적인 동물
감각으로 정해
져있다 당연히
주술적인 의미로서
파란색을 보았을 때
이게 하늘색인지
아닌지에 관한
의논을 해 봐야한다
그래서 이 의미하에

내가 배우가 가지고
있는 슬픔과 화
즐거움 기쁨에서
시작되는
마찬가지로
신체조건이 있어야
하는 까닭이다 또한
더 구체화 시키자면
인체에 방향성으로
인체에서는 자극과

반으을 할 수있고 오장육부를 말하는 것이다 그게 바로 심장부위라는 것이다 이 심장에서의 펌프질을 하는 것은 뇌 안에서 시학 즉 시각적인 자극을 추측을 통해서 상대

배우를 알게 될
것이다 그래서 이미
신체와 인체로
연관화 했는데
여기서 하나 모르고
있는 부분이 있다
그것이 바로
성기이다
성기부분은 신체는
아니지만

급소인것이다 이
급소에서
부분적으로 했을 때
항문이라는 의미가
들어간다.이때 보면
항문은 대장의
입구이다 그러므로
항문을 항상 열어
주어야하며 입을
벌려야 한다 그래서

신체와 인체의
새겨진 바가 된다
그러면 팔과 다리는
무엇인가 팔이
있다고
생각했을때의
상상을 해보면
우리가 팔 이 없을
때 접시를 집거니
젓가락을 집지

못한다 하지만
소뇌의 구조로
안에서 작용하는
부분이기 때문에
상상을 하더라도
목적이 들어난다
그러므로
목적성으로서
작용한다 또한
말에서는 침이라는

것은 존재하지
않아야한다
훈련기법은 아까
알렸다 이때 상상을
가지고
엔지니어링을 하면
어떤것이냐면 바로
후각에서의
부분이다 땀을
흘렸때의 하나의

엔지니어링으로
봤을 때 땀샘이
방출된다는 의미를
가지는 것이다
여기서 다른 추론이
라는 것이 존재한다
그래서 이
내면안에서도 그
액션을 액팅하는
부분이 있을 것이다

또한 촉각에서는
무엇이냐면
무언극에서 언행을
요하지않아도
몸속안에서 있는
에너지를 가지고
논의를 할 수 있는
방면이있다 또한
상상에서 상황을
의하에 장면으로

연출했을 때

인형극이라는 것이

존재한다

언행이라는 것은

어떠한 형상의

범위안에서 손안에

인형을 읽고

복화술의미만에

해결책이잇다

복화술은 인형의

움직임을 통해

배우의 동선을

알수있다

예술의

종교안에서의

품위가 들어가는

형상화이다

라는것이다..

이러한것은 연극의

주된 지리적인

특성들이기

때문이다

소비에트의 화산

지역이라던지

공연에서의

논리적인 방면이

주어져야 사실을

구상할수있다는

것이다.. 발명의 시
초였던 마야문명의
과학 인문
성에성의
천문학적인
지배하에
갖추어졌지만 또한
일본의 술문화에서
음식물찌꺼기를

짜셔 만들어 져낸

예술로써의

기피성은 계속

찾아볼수있다

성향으로써

봐라보기에는 쉽지

않을 수있다는

것이다 . .문명이

라는 부분은

과학이여서

다행이라는 것이

아니라 물고기로써

창조와 소의

창조의 어미를

전달하는

모나리자의

그림이라는 것이

미스테리적인

문명의 타고남

때문에 아닐까

아니다... 그러하여

사막에있는 시계의

시침의 시작성이

아시아의 비단길

통로로써

만들어지고 고대의

의식성에서

잠재워지는

것이다.. 또한

물질만능 주의적인

부분하에 영화

시초가 다시

들어오는

형식적이지 않은

범위에서의

동물적인 형식의

시초가 아닐까싶다
또한 의식에서의
이미지화가 도움이
될듯싶은데
그러함에 따라서
가상현실의
3D 현상을 표현해
나아가
애니매이션을

창조할수있다는

것이다.. 그것으로

인해서 미국

할리우드회사가

넓혀졌고 말이

않되는 중국의

진시황제의

무덤안에서 영혼이

디가 오고 있다는

것이다.. 시초에

인류들은

오스트랄로피테쿠

스를 바로삼아

핀족 흉족

반달족의

역사안에서 사로

잡는 다는것이다

그이후로써 고대

서적에서 나올
수있는 방향성을
주된임므로써 잡아
아프리카 남미를
예술로써 보호하는
것이 첫번째이다..
인류들의 상식은
지나치지 않다
예언으로써

움직이는 것이

아니지만 사고성과

뇌의 일부분은

서양과 동양

의식에서 크기와

형태가 다르다는

것이다..

그러인해서 성별의

논란이 생기는

것이다 이러한

까닭으로써 인류는

무었때문에 생기고

어디서 진화하는

것일까?? 또한

영화에사도 보지

못한

7 대세계불가사의

같은 경우에는

문명의 다른

표현들이

시작되는것이다 ...

왜 그렇게 되는

것일까..

피라미드의

역사에서의

예술성을

입혀보았으면

좋다는 것인데

표현화되는 것은

어디에서 이치를

사는것임에

구별함이

필요하다는

의미이다

연극의

본질성으로써

감당하는 신체의

저압력상태를
보일때 극장의
기봄은 파괴되는
형상을 일컫는다 이
좌뇌 우뇌의 속송을
알고 사고화하는
신체극의 월리이다
그 속성에서의
본질성을 따지는
것이중요하다
공연의
연극과정에서
심리적 특성을

가지기도 한다
이뜻은 무엇이냐면
과학적인 신체의
활용성을 나타내는
곳이다 이
인체안에서의 숨을
쉴수 있는 땀샘에서
노폐물이
본격적으로
노출이되면서
박테리아나
세균등을 없애는
역할을 하고있다는

것이다 이러한
형상들이
신체연극을
주로하는
마당극이나
가면극의 형식적인
개론에대해서 발성
호흡 장치를
만드는것이다 또한
신체에서 튼튼한
발달을 통해서
기관지나 폐안에서
숨으로써 깊이성을

들어내는
기법들이다 이러한
교정으로써 공연의
간질성을
표출할수있다는
것이다 이러한
까닭으로 점점
공연의 역사들은
깊어진다는 것이다
미학적인
접근법으로써
공연의 숨쉬는
아마존같은

형성들로써 계속
호흡과 신체
발성으로써 같이
해야만 하는 식이다
신체의 기본원리는
등이 바르게
서야하며 어깨의
힘들을 내리고
공연적 스킬을
사용하는것이다
중요한 점에서
서커스라는 공연의
특성을 파악해서

물리적기반으로써
배우들의
훈련방식들이
주어진다는것이다
신체의 활동에서는
뇌가 들어가며
뇌안에서
먼지덩어리들이
계속없어져야만
하는데 신체의
조건에서 동물적
요쇼들을 사용하고
있긴하다 그래서

자율스포츠형식의
고대문명적인
스킬들이
필요허다는 것이다
이러면서 활동의
활용을 계속해서
입혀야하는것이다
의상들의 형태를
조고 입히고
캐릭터의 맞는
입장을
고러하게된다
이러면서

미술무대들과
사고화하며 계속
꾸준히 시학적인
효능들을
주어야만한다
그렇게 끝나며 계속
꾸준히 배우의
이성을
잊지않아야한다
공연의 활동으로써
영상을 만들거나
희곡 소설 문학
작품들로 활발히

활동하는
배우들이다..
이러한 것들로써
오디션
테크닉으로써
승부하는 연기를
추구하고있다 또한
깊은 내면의
세계로써 답하는
이유있는 연기와
목적성을 가지는
형태로써
가능성있는

포즈들이 있기에
연출이
가능한것이다 또한
화학적인
실험으로써 연출의
농도를 측정해
신체요건들을
맡아서 계속해서
신체호흡 훈련을
해야한다 공연의
역사 안에서도
미국의 정서적
특성을 기반으로해

공연의 타당성을
내밀고
있다는것이다
그러함으로써
탈박성이 생기는
남미와 아프리카
무대에서 점점더
좋은 색깔들로써
나타내는 자연주의
사상론 들이
있다는것이다
문학아래에서
주변의 시학적

효과로써 이미지를
부어넣는것이
좋은것이다 또한
무대는 장르에 따라
달리 표현하게
하기도 한다..
맥베스일경우의
연극정서들은
다치지 않고
조심스러운 환경의
목적들을 세우고
있으며 배우들의
극장 위치라던지

주인공의 연기
단역들의 연기는
무척 다르게 판단이
된다는것이다..
신체조건이라는
의미도 있지만
살아왔던
생활형식등이
다르기 때문이다
공연적
퍼포먼스쇼에서도
당연히 연기의
자질들이 발연이

되면서
퍼포먼스에서의
시도들은
다름이없다
어떤점에서는
사회와 과학
인문들이 합해서
정해져 있는 룰들이
다 있기에 공연의
공간이라던지
배우들의
움직임들이
활성화가

될수있다는 것이다
니체의
움직임으로써
설명해야한다는것
이다 가장오래된
러시아의
스타니슬라브스키
의 단어들의 사실적
구상도는 연기의
본질을 깨닫는
형식이라는 것이다
또한 오패라 나
뮤지컬에서는

아름다운
보아스칼라로
형식들이 다른
음성으로써
호흡하고있다는
것이다 여기에서도
다름아닌 문명의
성질을 뛰는 경우가
하다하다.. 또한
공연적 감각
도성에서
잊지않아야한다는
육감의 퍼포먼스

납인이 쉬운
사고화가 아니다
그럼으로써 미술도
방대하개 발달을
했다는 것이다 또한
심리적인
상황극에서
배우들은 포인트를
잡게
되고있다는것이다
또한 지구력을 향상
시키는 도전적인
언행들도

되살아나고있다는
것이다
영화
에일리언이라는 큰
작품이있다 이
직품이 만들어지기
전에 어떤 일들이
있었냐면 미국의
역사에 친구가 별로
없고 집에서
공상과학을
상상하는 이가
있다고

서프라이즈에서
보았다 이사람은
어렸을때 집에서
깜깜한곳에서 책상
밑에서 그림을
그렸다 그 그림은
현존에
스타크래프트에
히드라리스크
에일리언의
괴물형태의 시각을
보여주고있었다 이
그림자체에서

기계화된 괴물이
그려져있다 이
느낌자체는
토이스토리에 나온
시드의 느낌도
받을수가있다 나도
그렇다 주변에
친구들이 없었다
하지만 이
예술하나로 정말 큰
기쁨이 있었다 바로
다크나이트에
나오는

히스레저이다
배트맨 역사상 그런
영화는 100 년이
흐르고 절대로
히어로역사상 절대
할수없을 지도
모른다 하지만
할리우드에 많은
작가들이 선정을
한다 자기작품들을
만들기 전에
형태들을 많이
만든다 그것이 바로

그림이라는것이다
그림이 라는것은
추상화된것이
아니라 손으로
되어있는 인간의
내면이다 그
내면안에서
마블안에있는
캐릭터들이
나옴으로써
절실하다
미술작품또한
유리병을 그린다고

이 예술의
증명이되는것이
아니다 자꾸 내면이
라고 하는데 내가
예술인이라고
다짐해서 그린다면
이건 작품이라고
하는것이다
그뜻이다 독일은
굉장히 웅장하고
초콜릿처럼
부드러우면서도
독창적이고

스며드는 정도의
느낌을 받을수있다
헝가리나
체코에서는
그런느낌이 없을
지라도 독일의
과학을 상징하고
엄청나게 달지만
그걸 억제할수가
있다.. 그래서 이
베히모스같은
독일의 상징물들 즉
바다의

크라켄같은것은
독일 작품으로
판매를 해봤으면
하는생각이다
일본은 씁씁하다는
느낌이든다 일본은
굉장한 나라이지만
한때는
공격도당했고
공격도했다
니사회속에도
농도가 지나치지
않다

애니매이션이다
이애니매이션
자체는 미술로서
의미할수있다
디지털적인 의미를
담고있으며 많은
작가들과
영화감독들은
신선한 느낌도
주지만 극적인
감동도 주기에
마련이다 이것이
바로 일본의

예술적인 시작이다
나도 일본의 그림을
그린다 괴수이지만
효과적이고
고지식한 느낌으로
일본작품이라면
당연히 그러한
모습의 그림을
그려낼것이다 일본
관객들을
감동시키기
위해서는 내가
진정성이

있어야한다 만약
그림에 비만을
그린다면 어떻게
그릴것이며 어떤
스릴을 주며
공포안에서도 그
작품이 집안에
걸려져있어도
무서움없이 그것과
동정을 할것인가
그걸 잘 그릴려면
내면의 동조와
자세하고

섬세하여야
할것이다 폴란드의
풍차라는 느낌은
일본 느낌도 난다
내가 도자기를
봤을때도 뭔가
코발트같은 느낌이
들기도 하다 이
폴란드나라는
예술성이 진하지
지만 나중에 선선한
느낌이 든다 그
책을 읽었다

그로토프스키의
연기이론안에
예술이라는 가난을
상징해도 그안에
예술은
인식한다는것이다
폴란드 작품에는
로봇같은
그려봤으면 좋겠다
감리의 공연
스타일은 독일의
표상주의가 하나
적개심없이

나타나고
있다.그이후로
2000 년대 이후로
많이 사라지는
극적인 연기들이
추구되지
못하고있다
그럼으로써
하나둘씩 없어도
되는 경우는 하나도
없다 표상주의라는
것은 어떠한 직감을
통하여 각도에

회전하고 있다는
것이다.그래서
남미예술에서
극장에서 모향을
반항적으로
쓰더라도 빠르고
정확하 다는뜻이다
그러기에 배를
호흡부로써
역할을함으로써
인형극을 틀을
만들고 극장에서
하루마다 마스크를

제조해야 한다는
의미가 있다는
것이다. 그러기에
남미의 가면을
들여보면
브레히트적인
상황들이 계속 돌고
있는것이다. 그래서
표현하고자 하는
서식들이 잘
앓써지기도 한다.
만약 이러한
경우에서 속도가

붙을수있는데 이
속도라는 개념을
철학적인 곳에
가까운
스피드이다.어떤병
사가 누가 있는데에
뇌에 대한신경을
쓰지
않았을까??그것은
거짓말이라는것이
다.
그래서
미국공연예술에서

의 스펙트럼은
음향감각이라고
생각한다
스포츠적액션씬과
시나리오에 대한
관박관념이라는것
은 절차를 밟으려는
소리이다. 이것이
지켜지지 않으면
대본과 대사에서
크게 어려움이
있을것이다. 또
여기서 나오는것은

독일의
표현구성학적인
모션인데 하나의
기습적이게 말을
많이
할순없을것이다
라는것이다
건축설계를 했을때
그 자그마한
용도로써
키나이나아를
따라하는
스타니와는

다르다는 느낌을
받아본적이
있었다.그러기에
바빠 내가 이
책들을 유통을
하고자 했을지라도
이 책들을
전공서적들이
되는것같았다.또한
나무깍이로 만든
목탁으로
자연스럽게 인도
할수있는 부분들이

있긴하다.
무대에서는 투구와
장비와
마스크인것을 써서
연구를 한다는점이
굉장히
넓혀져있다는
것이다.이것은 어떤
것이냐 서로 가면에
대한 표식과 나머지
인간들과 관객들과
배우들의 문제점을
캐어해주는

것이다.여기에서
해부학이라는 것이
들어가면 복화술
인형을 만들기
위해서 똑똑히
만드는 작업자들도
있었다
또한 복화술을 침과
심으로 만들고자
해서 인체공학적인
작업도
가능한것이다

인체쪽에서는 관을
작은것을 넣은후
계속해서 시공을
하는 작업이 시작이
되는것이고
실험장치인
인공관식 인형을
만드는것이다
인체적인
예술극으로써
특수분장이
될수있다

예술극에서는 그
특수화 궁극적인
문학이나 소설이
있으면 연출은
쉽지가
않다.그러므로
이러한 저저한
혼합성을 따져
미술적인 표현화와
화자의 내면세계와
배우의 내면셔계는
다른곳이다 이

의미하에
무언극이라는
공연예술을
던져보던져
무언극이라는 것은
그저 말이 아닌
행동언어로
사용되는 몸짓이나
흉네의
희로애락이다

그래서 세계의 무대인 미국가운데에서 이 언어적인 행위는 머리속에서 발생을 하게 되는것이다 라는 의문점을 가졌다 예를 들어서 몸을 한가운데 중심으로 수학적인

기법을 통해서 기호
분석이 가능하다
몸을 가꾸기 위한
작업이디만 몸의
형태나 모습이
어떻게 들어갈지에
대한 행위를 애초에
분석을 하는것이다
서커스에서도
마임극 형태를 주로

세발자전거 안에서
효과를 분석
할수있할 분류라는
것은 무엇을
의미하냐면 내가
아닌 다른 사람을
주장해서 액팅을
취할수있고 하나의
카테고리
범위에서의 액션 즉

몸을 쓰는
그로토프스키의
연기이다
마임에서의 특성은
만약 우리가 말하는
관객이 지나치게
언어행위를
주장하면 마음의
인식이 적어져 돌발
상황에 처할수있다

그래서 이러한 것을
통하여 신체로서
풀어주는 형태를
가져야 만 한다
물리적인 요소
안에서 정말로
기계적이지 않은
상상과 사실적인
추구방식에서
나오는 물질적인

자원에서부터
언행이 아니라
신체에서의 특성을
이해하는 의학적인
요소 입니다 이
의학적인 메소드
형식은 말 그대로
신체내부에서 약을
조금 줄것인지 많이
줄것인지에 대한

의식적인 동물
감각으로 정해
져있다 당연히
주술적인 의미로서
파란색을 보았을 때
이게 하늘색인지
아닌지에 관한
의논을 해 봐야한다
그래서 이 의미하에
내가 배우가 가지고

있는 슬픔과 화

즐거움 기쁨에서

시작되는

마찬가지로

신체조건이 있어야

하는 까닭이다 또한

더 구체화 시키자면

인체에 방향성으로

인체에서는 자극과

반응을 할 수있고

오장육부를 말하는
것이다 그게 바로
심장부위라는
것이다 이
심장에서의
펌프질을 하는 것은
뇌 안에서 시학 즉
시각적인 자극을
추측을 통해서 상대
배우를 알게 될

것이다 그래서 이미
신체와 인체로
연관화 했는데
여기서 하나 모르고
있는 부분이 있다
그것이 바로
성기이다
성기부분은 신체는
아니지만
급소인것이다 이

급소에서
부분적으로 했을 때
항문이라는 의미가
들어간다.이때 보면
항문은 대장의
입구이다 그러므로
항문을 항상 열어
주어야하며 입을
벌려야 한다 그래서
신체와 인체의

새겨진 바가 된다
그러면 팔과 다리는
무엇인가 팔이
있다고
생각했을때의
상상을 해보면
우리가 팔 이 없을
때 접시를 집거니
젓가락을 집지
못한다 하지만

소뇌의 구조로
안에서 작용하는
부분이기 때문에
상상을 하더라도
목적이 들어난다
그러므로
목적성으로서
작용한다 또한
말에서는 침이라는
것은 존재하지

않아야한다
훈련기법은 아까
알렸다 이때 상상을
가지고
엔지니어링을 하면
어떤것이냐면 바로
후각에서의
부분이다 땀을
흘렸때의 하나의
엔지니어링으로

봤을 때 땀샘이
방출된다는 의미를
가지는 것이다
여기서 다른 추론이
라는 것이 존재한다
그래서 이
내면안에서도 그
액션을 액팅하는
부분이 있을 것이다
또한 촉각에서는

무엇이냐면

무언극에서 언행을

요하지않아도

몸속안에서 있는

에너지를 가지고

논의를 할 수 있는

방면이있다 또한

상상에서 상황을

의하에 장면으로

연출했을 때

인형극이라는 것이
존재한다
언행이라는 것은
어떠한 형상의
범위안에서 손안에
인형을 읽고
복화술의미만에
해결책이있다
복화술은 인형의
움직임을 통해

배우의 동선을
알수있다

도서명 공연의 인문학

발 행 | 2023년 08월 23일
저 자 | 허윤제
펴낸이 | 한건희
펴낸곳 | 주식회사 부크크
출판사등록 | 2014.07.15.(제2014-16호)
주 소 | 서울특별시 금천구 가산디지털1로 119 SK트윈타워 A동 305호
전 화 | 1670-8316
이메일 | info@bookk.co.kr

ISBN | 979-11-410-4160-1

www.bookk.co.kr